Publicado por Parragon en 2013
Parragon Books Ltd
Chartist House
15-17 Trim Street
Bath BA1 1HA, Reino Unido
www.parragon.com

Texto: David Bedford
Ilustraciones: Brenna Vaughan y Henry St. Leger
Edición: Laura Baker
Diseño: Ailsa Cullen
Producción: Rob Simenton

Traducción: Míriam Torras para Delivering iBooks & Design, Barcelona
Redacción y maquetación: Delivering iBooks & Design

ISBN 978-1-4723-1804-6
Printed in China/Impreso en China

Quiero a mi mamá

PaRragon

Bath • New York • Singapore • Hong Kong • Cologne • Delhi
Melbourne • Amsterdam • Johannesburg • Shenzhen

Una mañana, Cervatillo no quería salir a jugar.
—Quiero ver cosas nuevas
—le explicó a su mamá.
—Entonces, vayamos a explorar —le dijo ella—
y veamos qué cosas nuevas encontramos...

—¡Por aquí! —dijo Cervatillo emocionado.
Entonces echó a correr y su madre lo siguió, vigilándolo.

Cervatillo **brincó** entre la hierba y pasó cerca de un sauce. Luego cruzó con cuidado un río saltando de piedra en piedra mientras el agua corría suavemente.

—¡No te mojes los pies!
—le advirtió su mamá.

—¡De acuerdo! —dijo Cervatillo,
vacilando
y
tambaleándose.

Cervatillo contó mariposas rojas
y naranjas, y luego se metió entre
unos arbustos densos y enredados.

—No te quedes atascado
—lo alertó su mamá.

—¡De acuerdo! —exclamó Cervatillo,
mientras salía por el otro lado.
—¡Rápido, mamá!
—la llamó—. Quedan muchas cosas por ver.

—¡**Mira!** —dijo Cervatillo—.
¡Una colina que sube hasta las nubes!

—¿**No es demasiado alta?**
—le preguntó su mamá.

—Para mí no es demasiado alta

—le contestó Cervatillo, jadeando mientras caminaba paso a paso hasta la cima.

—¡Puedo ver hasta el **infinito**!
—exclamó Cervatillo, poniéndose de puntillas.

Su mamá estaba a su lado,
pero Cervatillo comenzó a
tambalearse de nuevo

y de pronto…

—¡Uaaaa!

—gritó Cervatillo
al resbalar y caer
aparatosamente en un
montón de hojas secas.

—¿Estás bien, Cervatillo?

—le preguntó su mamá.

—¡Sí! —se rio Cervatillo—. ¡Estoy bien!

Cervatillo se tumbó en la pradera con su mamá a observar las abejas zumbando bajo el cálido sol.

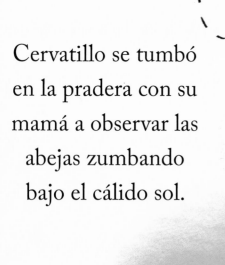

De repente, Cervatillo se levantó.
—¿Mamá? —dijo—. ¿Por dónde se va a casa?
Y miró a su alrededor.

—¡Me he perdido!

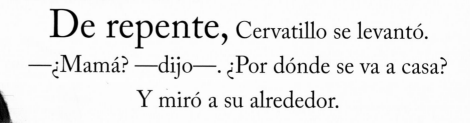

Su mamá le acarició la nariz
con el hocico.
—Pronto encontraremos
el camino —dijo con
dulzura—. Solo tenemos
que recordar cómo hemos
llegado hasta aquí.

Cervatillo pensó y pensó
y, finalmente, comenzó
a recordar…

—¡Hemos venido por la colina!
—exclamó Cervatillo,
echándose a correr hacia la
colina que subía hasta las nubes.

Su mamá lo ayudó a subir deprisa
hasta la cima, y allí...

—¡Yupiii!
—gritó Cervatillo—.
¡Puedo ver el camino
desde aquí!

Cervatillo y su mamá
bajaron la colina por la
otra ladera para ver qué se
encontrarían luego.

—¡Atravesamos los arbustos enredados! —le dijo Cervatillo a su mamá.
Y agitando su colita volvió a meterse por el agujero que había hecho,
y su mamá lo ayudó con un empujoncito.

—¿Y ahora por dónde vamos?
—le preguntó su mamá cuando llegaron al otro
lado. Cervatillo vio las mariposas rojas y naranjas
y escuchó el agua fluyendo de un riachuelo…

—¡Las piedras del río! —dijo
Cervatillo feliz, apresurándose para atravesar
el riachuelo.

—No te mojes los pies, mamá —le advirtió.

—¡De acuerdo! —se rio ella—.
¿Pero quién llegará
primero a casa?

Cervatillo conocía el camino
desde allí.

Corrió lo máximo que le
permitieron sus patitas,
atravesando el prado y
pasando cerca del sauce
hasta que…

—¡He
llegado el
primero!
—exclamó
Cervatillo, saltando
una y otra vez por
el campo.

Cervatillo se tumbó
bajo el sol al lado
de su mamá.

—Me encanta explorar —dijo Cervatillo feliz—.

¡Y quiero a
mi mamá!